CARROUSEL

MINI-ROMAN

Dominique et Compagnie

De la même auteure

COLLECTION CARROUSEL

1

Le sixième arrêt

6

Le plus proche voisin

16

Mon ami Godefroy

25

Le cinéma de Somerset

38

Le délire de Somerset

Collection conçue et
dirigée par

YVON BROCHU

HÉLÈNE VACHON

LE DÉLIRE
DE SOMERSET

Illustrations
YAYO

Données de catalogage avant publication (Canada)

Vachon, Hélène, 1947-
Le délire de Somerset
(Carrousel)
Pour enfants de 6 ans et plus.

ISBN 2-89512-079-X

I. Yayo. II. Titre. III. Collection.

PS8593.A37D44 1999   jC843'.54   C99-940037-1
PS9593.A37D44 1999
PZ23.V32De 1999

ISBN 2-89512-079-X   Imprimé au Canada

Direction de la collection: Yvon Brochu, R-D création enr.
Éditrice: Dominique Payette
Conception graphique de la collection: Pol Turgeon
Graphisme: Diane Primeau
Conseillère: Thérèse Leblanc, enseignante
Correction-révision: Martine Latulippe

10 9 8 7 6 5 4 3 2

Dominique et compagnie
Une division des éditions Héritage
300, rue Arran, Saint-Lambert (Québec) J4R 1K5
Téléphone: (514) 875-0327
Télécopieur: (450) 672-5448
Courriel: info@editionsheritage.com

Nous remercions le Conseil des Arts du Canada de l'aide
accordée à notre programme de publication, ainsi que la SODEC
et le ministère du Patrimoine canadien.

LE CONSEIL DES ARTS | THE CANADA COUNCIL
DU CANADA | FOR THE ARTS
DEPUIS 1957 | SINCE 1957

SOCIÉTÉ DE
DÉVELOPPEMENT
DES ENTREPRISES
CULTURELLES
Québec ::

Mon père dit toujours que les bibliothèques sont les Grandes Gardiennes des livres.

Ce que je ne savais pas, c'est qu'elles les gardaient pour elles.

Aujourd'hui, c'est mon anniversaire. Je reçois un livre en cadeau: *La malheureuse*

histoire de l'infortunée Princesse Isadora de Schleimacher.

Chouette! Un nouveau livre! Je plonge tête première dedans et je le lis d'une traite.

Mais il y a un problème: l'histoire ne s'arrête pas là. Il y a une suite. Tant mieux! Parce qu'à la fin du livre, la Princesse de Schleimacher est dans le pétrin jusqu'au cou. Perdue en plein bois, suspendue à un arbre au-dessus d'un précipice. Il n'y a pas une minute à perdre.

– Vite! je dis à mon père. La Princesse est en danger.

– Ah bon?

– Elle a eu peur des loups, tu comprends? Alors elle a grimpé à un arbre. Sa robe s'est prise dans les branches. Elle est coincée là-haut.

– Ciel!

– Vite! Un rien et elle dégringole.

– Tu as raison. On ne peut pas la laisser tomber.

– Qu'est-ce qu'on fait?

–C'est tout simple, Somerset.
Il faut aller chercher le tome 2.
  –Où?
  –À la bibliothèque.

Je cours à la bibliothèque,
mon livre sous le bras. Derrière
le comptoir, il y a une femme,
haute et large, avec de beaux
cheveux gris bleu.

Une Grande Gardienne, sans doute.

Mais devant le comptoir, il y a cinq personnes qui attendent. Zut! Pauvre Isadora. Suspendue comme ça, au-dessus du vide. Les loups l'ont peut-être déjà dévorée. Quelle idée aussi d'aller se mettre dans un pétrin pareil!

Pour tuer le temps, je relis *La malheureuse histoire de*

l'infortunée Princesse Isadora de Schleimacher. Une deuxième, puis une troisième fois. Je comprends de moins en moins. Quelle imprudence, sapristi! Partir comme ça, en plein bois, sans carte, sans corde, sans canif, sans boussole, sans lampe de poche... Elle aurait au moins pu emporter ses cailloux, comme le Petit Poucet. Pas de danger qu'il passe par là, celui-là! Il pourrait ramener la Princesse chez lui avec ses frères. À sept, ils seraient sûrement capables de la décrocher.

Mais à bien y penser, ça ne servirait à rien. Les parents du Petit Poucet sont toujours sans le sou. Et pas fiables du tout. Avec eux, c'est toujours pareil: quand ils n'ont plus rien à manger, ils ramènent leurs enfants dans le bois pour les perdre. Tout est toujours à recommencer.

Mon tour arrive. Je montre le livre à la Grande Gardienne:

– Je voudrais le tome 2.

– Pas si vite, mon tout beau... *Montoubô?*

La Grande Gardienne sourit.

– Tu as ta carte?

– Ma carte? Ah oui! la carte du monde! Elle a bien raison. Comment retrouver une princesse égarée si on n'a pas de carte?

– Elle est chez moi.

– Il faudrait retourner la chercher, mon tout beau. Sans elle, je ne peux pas te prêter de livres.

Soupir. Je suppose que c'est ça, une Grande Gardienne.

– Une autre fois, d'accord? Aujourd'hui, je n'ai pas le temps. Si l'Ogre s'amène avant le Petit Poucet, elle est cuite, la Princesse.

La Grande Gardienne rit dans sa barbe comme si j'avais fait une bonne blague.

– Pas de carte, pas de livre, mon tout beau.

– Mais la carte, c'est moi qui en ai besoin, pas vous.

La Grande Gardienne sourit encore et me tourne le dos.

«Somerset, je me dis, pas question de te décourager. Quand on veut sauver une princesse, il faut savoir en payer le prix.» Et payer le prix, ça veut dire traverser un certain nombre d'épreuves. Faire la queue, par exemple, convaincre des Grandes

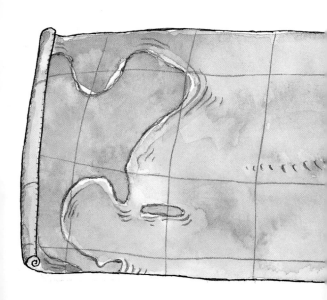

Gardiennes, retourner chercher des cartes…

Je cours à la maison et je reviens avec ma carte. Je la déploie sur le comptoir, au nez et à la barbe de la Grande Gardienne. Elle n'en

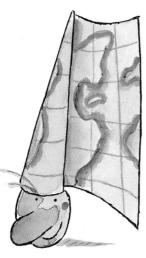

revient tout simplement pas. Je la comprends. En fait de carte, on ne peut pas trouver mieux.

— Qu'est-ce que c'est que ça?

— La carte du monde, je dis. Celle qui doit m'aider à retrouver la Princesse.

La Grande Gardienne me regarde comme si je tombais de la lune.

—Je ne parlais pas de cette carte-là, mon tout beau. Je parlais de la carte d'abonnement.

La carte d'abonnement?

Je réfléchis. Des cartes, j'en ai tout plein chez moi, mais une carte d'abonnement, ça, non.

La Grande Gardienne sourit comme si elle venait de remporter une victoire. Elle me tend une feuille longue comme une journée de classe sans récré, et un stylo. La mort dans l'âme, je m'assois à l'une des tables. J'inscris mon nom, mon adresse et mon numéro de téléphone.

À la dernière minute, je biffe mon nom. À la place, j'écris Montoubô. Si la Grande Gardienne croit vraiment que je m'appelle Montoubô, allons-y pour Montoubô. Je ne suis pas contrariant. Je retourne au comptoir.

— Bon. À présent, je peux avoir le tome 2? Dépêchez-vous. À l'heure qu'il est, l'Ogre a peut-être déjà décroché la Princesse.

La Grande Gardienne pianote sur son ordinateur.

–Tu as une preuve de résidence?

–Une preuve de résidence?

–Une carte qui prouve que tu habites le quartier.

–Une autre carte?!

Tout à coup, je comprends: elle est de mèche, la Grande Gardienne. Toutes ces histoires de cartes, c'est juste pour gagner du temps et m'empêcher de secourir Isadora.

Je retourne à la maison. Je

fouille dans ma commode et j'emporte toutes les cartes que je trouve: ma carte pour faire la chasse aux autobus, ma carte pour être malade et, tant qu'à y être, toutes mes cartes de pique, de trèfle, de carreau et de cœur.

J'arrive tout essoufflé à la bibliothèque et j'abats toutes mes cartes sur le comptoir.

La Grande Gardienne en choisit une et la retourne. «Allons bon! je me dis. Si elle s'imagine que j'ai le temps de jouer aux cartes à un moment pareil!»

—On jouera plus tard, d'accord? Quand la Princesse sera hors de danger.

La Grande Gardienne recommence à pianoter sur son clavier.

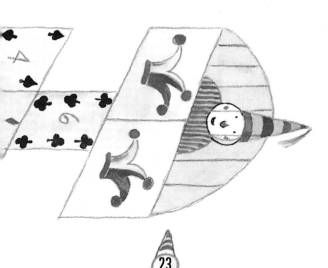

–Le tome 2, vite! La Princesse ne tiendra plus très longtemps.

– Désolée, mon tout beau. Ta *Princesse de Schleimacher* est en traitement.

–En traitement?!

Catastrophe! Je suis arrivé trop tard! Des visions d'horreur défilent devant mes yeux. Isadora emportée par l'Ogre, embrochée, grillée vive... Tous ces mauvais traitements qu'on fait subir aux princesses.

– C'est épou-
vantable! Il
faut empêcher
ça.

– Ce n'est
pas si terrible,
tu sais.

– C'est vous
qui le dites!

– On ne fait
que lui retirer
sa couverture, à ta princesse.

Je suis scandalisé.

– Des plans pour qu'elle
gèle tout rond!

– On en pose une autre.
Beaucoup plus résistante.

– Ah bon!

– Ensuite, on met une bande
antivol.

–Une bande?!

Zut! S'ils s'y mettent à plusieurs, maintenant!

– Pour empêcher ta princesse de s'envoler.

C'est bien ce que je pensais: ils la gardent prisonnière ici. Mais où?

–À votre place, je ne compterais pas trop là-dessus.

Antivol ou pas, l'Ogre n'en fera qu'une bouchée, de votre bande. Et puis ce n'est vraiment pas du jeu. Que voulez-vous que je fasse, moi tout seul contre toute une bande?

La Grande Gardienne sourit, pas du tout impressionnée.

J'insiste:

– Décrocher une princesse, c'est une chose, mais se retrouver coincé entre une bande antivol et un ogre...

Soupir.

– Un ogre avec un grand couteau...

La Grande Gardienne s'est remise au travail.

– Sans parler de ses bottes, je dis. Ça va vite, des bottes de sept lieues. Je ne pourrai jamais courir aussi vite. Il va me rattraper en moins de deux, c'est sûr.

Je regarde autour de moi,

découragé. La bibliothèque est pleine de monde. Pleine de malheureux penchés sur des livres, qui doivent se faire un sang d'encre pour une autre princesse  aussi insouciante que la mienne. J'ai bien envie de partir et de la planter là. Après tout, c'est sa faute, ce qui arrive. Et puis quelle idée de s'habiller comme ça! En robe longue et en escarpins! Dans un bois!

—Reviens dans une semaine,

dit la Grande Gardienne. Ta princesse sera disponible à ce moment.

– U... UNE SEMAINE?

– Chuuut! fait la Grande Gardienne, un doigt sur les lèvres.

– C'est beaucoup trop long, je lui souffle à l'oreille. D'ici là, j'aurai lu bien d'autres livres, comprenez-vous? Alors la Princesse, je risque de l'avoir complètement oubliée.

La Grande Gardienne s'active toujours, tête baissée.

Sous la lumière, ses cheveux brillent d'un éclat métallique.

– Sans compter qu'elle est bien capable de tomber endormie, je dis. Étourdie comme elle l'est!

Elles font toutes ça, les princesses: elles s'évanouissent ou s'endorment pendant cent ans.

– C'est long, cent ans. Je n'aurai jamais la patience d'attendre jusque-là.

Tout à coup, la Grande Gardienne se penche vers moi et me glisse à l'oreille:

– Et si tu la cherchais au lieu de bavarder sans arrêt?

Ses cheveux me chatouillent la joue. Ses cheveux tout bleus.

– La chercher? Facile à dire. La bibliothèque est immense.

La Grande Gardienne me fait un clin d'œil.

– Je te donne un indice.

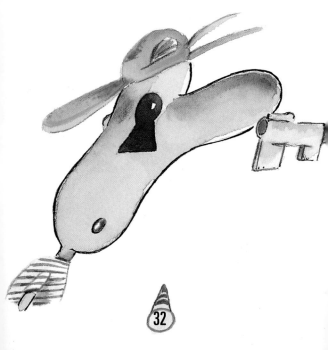

Elle sort un trousseau de clés de sous le comptoir et me montre la plus petite. J'ouvre les yeux tout ronds et je recule.

Les cheveux bleus. Les clés. Les mauvais traitements... Ça y est, je viens de comprendre. Barbe-Bleue, c'est elle. Barbe-Bleue, c'était une sorte de Grande Gardienne, lui

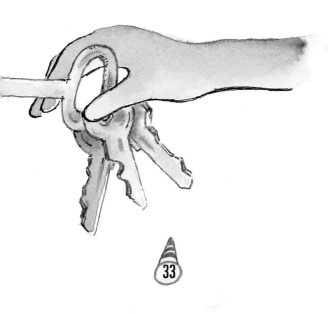

aussi. Je dis d'une toute petite voix:

– Ça veut dire que je peux aller partout...

Elle fait oui de la tête. Sa tête toute bleue. Il ne manque que la barbe. Je connais la suite.

– Il n'y a qu'un seul endroit où je ne peux pas aller...

Barbe-Bleue hoche encore la tête. J'avale péniblement.

– Dans la cave. C'est ça?

Là où Barbe-Bleue enfermait ses femmes avant de les

égorger. Là où
se trouve la
Princesse.

– C'est ça,
oui.

Le cœur bat-
tant, je prends
les clés et je
cherche l'es-
calier qui mène
à la cave.

C'est tout sombre et hu-
mide en bas. Un vrai cachot.
Devant moi, il y a une porte.
Verrouillée, bien sûr. Dessus,
il est écrit: *Employés seule-
ment.* C'est là. Mon cœur

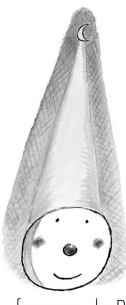

bat comme un fou. Que vais-je découvrir derrière cette porte? Des milliers de princesses sans couverture? Ou sans tête, comme les femmes de Barbe-Bleue?

Du calme, Somerset.

J'introduis la petite clé dans la serrure. La porte s'ouvre. J'entre.

Elles sont toutes là, alignées les unes à côté des autres sur une grande table. Une dizaine de princesses sans couverture.

Comment retrouver une

princesse qui n'a plus sa couverture? Je les passe en
revue. Tout à coup, je la
vois. Elle est là. J'ai reconnu
le nom: *Isadora.* À côté d'un
immense pot de colle. Je dé-
pose le trousseau de clés sur
la table et je saisis le livre —
ce qu'il en reste — à pleines
mains. Le dos est tout collant.
Tant pis.

Je me laisse
tomber par
terre. Les mains
tremblantes,
j'ouvre le livre
et je lis.

La Princesse hurle.

Encore?

À la fin du tome 1, la Princesse hurlait et, au début du tome 2, elle hurle toujours. À l'heure qu'il est, elle doit avoir la voix tout enrouée.

Je poursuis ma lecture.

Humant l'air de cette splendide journée de printemps, un prince et son cheval se trouvaient à passer par là.

Un prince!

J'aurais dû m'en douter. Et les loups alors? Et l'Ogre? Et la bande antivol? Rien qu'un prince. Qui passait par là. Comme par hasard.

Du calme, Somerset. Peut-être qu'il n'a pas lu le tome 1, le Prince. Et s'il n'a pas lu le tome 1, il ne sait pas qu'il y a un précipice...

Le Prince aperçoit la Princesse éplorée.

Encore heureux!

Il descend de cheval, accourt vers la Princesse...

...s'enfarge dans ses bottes et tombe à l'eau. Tu rêves, Somerset.

...et la cueille comme une rose.

Je rêve ! Ce n'est pas possible. Il s'amène, descend de cheval, accourt et décroche la Princesse. Non, il la *cueille*. Sans avoir eu à se battre. À faire deux fois l'aller-retour entre la maison et la bibliothèque. À remplir des formulaires, prendre un faux nom, descendre dans un cachot humide et sombre…

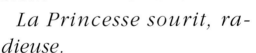

La Princesse sourit, radieuse.

Je referme le livre, écœuré.

Je remets le livre sur la table et je m'empare du trousseau

de clés. Les clés sont toutes collées. Je les frotte sur mon *t-shirt* pour enlever le sang… La colle, je veux dire. Rien à faire. La colle colle. Tant pis. Je remonte.

Barbe-Bleue est derrière son comptoir. Je lui tends les

clés. Elle les prend, se colle les mains à son tour, me regarde, sourit:

– Tu l'as enfin trouvée, ta princesse!

– Gardez-la, votre princesse! Une semaine, cent ans, je m'en fiche. Je n'en veux plus. Quand je pense que j'ai fait tout ça pour rien!

Pour une princesse qui passe son temps à hurler, qui n'est même pas fichue de mettre des baskets pour aller dans le bois et qui se laisse cueillir par le premier venu!

COLLECTION CARROUSEL

MINI ET PETITS

1 Le sixième arrêt
2 Le petit avion jaune
3 Coco à dos de croco
4 Mandarine
5 Dans le ventre du temps
6 Le plus proche voisin
7 D'une mère à l'autre
8 Tantan l'Ouragan
9 Loulou, fais ta grande!
10 On a perdu la tête
11 Un micro S.V.P.!
12 Gertrude est super!
13 Billi Mouton
14 Le magasin à surprises
15 Un petit goût de miel
16 Mon ami Godefroy
17 Croque-cailloux
18 Tu en fais une tête!
19 Bzz Bzz Miaouuu
20 La muse de monsieur Buse
21 Le beurre de Doudou
22 Choupette et son petit papa
23 À pas de souris
24 Mastok et Moustik
25 Le cinéma de Somerset
26 Le génie du lavabo
27 Monsieur Soleil
28 Le cadeau ensorcelé

29 Choupette et maman Lili
30 Le secret de Sylvio
31 Princesse Pistache
32 Célestine Motamo
33 Léonie déménage
34 Julie dans les pensées
35 Choupette et tante Loulou
36 La queue de l'espionne
37 Le chien secret de Poucet
38 Le délire de Somerset
39 Des amis pour Léonie
40 Croquette a disparu
41 Le tournoi des petits rois

C C

COLLECTION
CARROUSEL

Achevé d'imprimer
en septembre 1999
sur les Presses de
Payette & Simms
Inc. à Saint-Lambert
(Québec)